BO SS

AK COMICS

보스와 야스♥스페셜 그라비아

보스와 야스

2

사이노스케

PRESENTED BY SAINOSUKE

※본 작품은 픽션으로 실재 인물·단체·사건 등과는 일체 관계없습니다.

❤I❤ ❤N❤ ❤D❤ ❤E❤ ❤X❤

고령지.

제8화 HAPPY BIRTHDAY 야스!

부웅

부웅

부웅

부웅

부웅

딸깍

부우웅...

…

그러고
보니
보스.

부웅

부웅

호오~~~~~~~~.

마침
다음달이

**야스 씨의
생일인
모양이에요.**

…

보스와 야스 씨가
더욱 알콩달콩해질
선물에 대해서

말씀을
드려도
될까요?

ㅅ스슥…

…실례
하겠습
니다.

야스 씨에게는
보스가
남자 모습
그대로 보이고
있습니다….

보스에게는
야스 씨가
미녀로
보이고 있고

…생각건대

그래서! 생일에는
보스가 야스 씨의
이상적인 여자로
나타나는 겁니다.

역시 사랑에는
여성을 바라는 게
남자의 천성이라고
생각합니다….

남자로서
보스에게
홀딱
반했다
하더라도

야스 씨는
보스를 더욱
사랑하게 되고

서로가 서로에게
이상형인 미녀가
된다면—

보스 또한
야스 씨를
더욱
사랑하게
될 테죠.

이름하여
사랑의 스파이럴
대작전.

사랑의

스파이럴
대작전~?

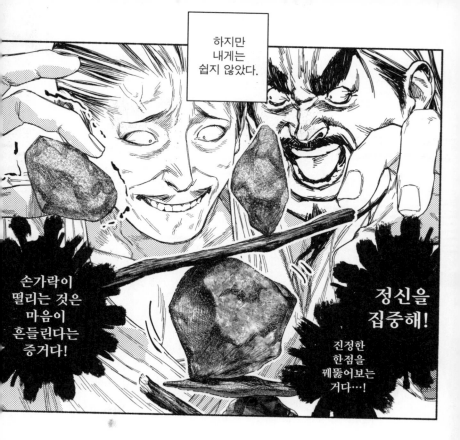

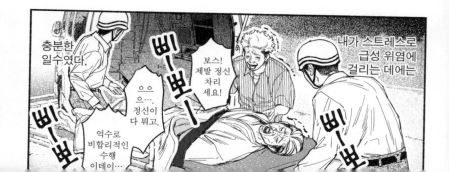

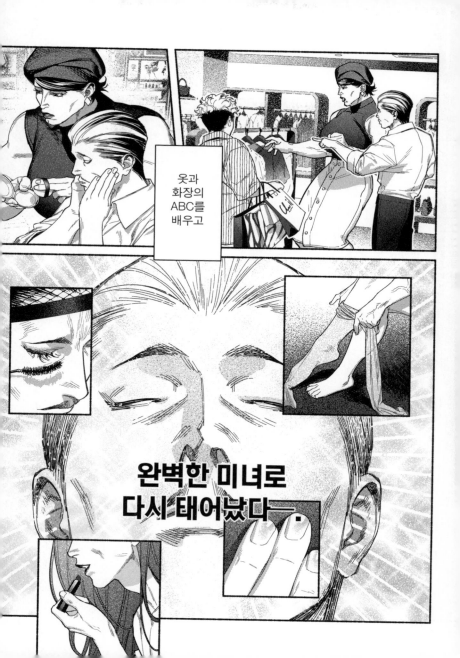

옷과
화장의
ABC를
배우고

완벽한 미녀로
다시 태어났다.

뭔~~가

내가 생각을 했던 거랑은 다른디.

무슨 상상을 했길래.

예쁜짓♥

...

나는 원점으로 되돌아왔다.

역시 섹시 노선이 먹힐 것 같은데요.

답은 심플해.

내가 최면술을 걸 수 없다면―

어때…. 내 이쁘나?

네, 형님 ….

야스는 영문을 알 수 없었다.

내가… 네 이상형 이가?

네, 형님 ….

애당초 오늘은 야스의 생일도 뭐도 아니다.

그럼, 야스.

단지—

내를—

죄송
합니다.

미안
하다.

야스….
너에게는
긴지 씨가
평소와 똑같이
보였을 기다!

내 최면술이
통하지
않은 건
알고 있다!!

내…

하지만
납득이
안 가…!

아무리
최면술을 걸어도
야스의
비전(vision)은
전혀 보이지
않았어….

혹
시
—

머리를
드세요,
사부님.

이런 일에
말려들게
해서
제 쪽
이야말로
사과를
드려야
합니다.

혹시 너에게는… 야스─.

욕망 이라는 것이…

없는 게냐 …?

제8화 ★ 끝

제 9 화

제9화 凸와 凹 긴지편①

긴지는

야쿠자에 관심 없어?

으응?

이것 봐.

야쿠자 마누라

갑자기 무슨 말이냐면

나, 야쿠자 마누라가 되고 싶어.

응?

긴지ー.

하지만 「야쿠자 마누라」가 되기 위해선, 야쿠자의 여자가 되어야만 해!

불쑥

남자의 세계에서 굳세게 살아가는 한 떨기 꽃 같잖아?!

내가
두목이
돼서

니를
데리러
갈게.

그래.

이얏
호—우.

오늘부터 내는
사랑에 사는 남자
긴지데이!

격노
했고

그리
고

울어서
나를
말렸다.

내는 사랑엔 사는 남자긴

그만하 쇼 엄니 그 날 부터

갑자기
무슨
소리고?

이놈의
아들은…

아니나
다를까
어머니는
맹렬히
반대했다.

이토록
말해도
모르겠
느냐.

긴지….

정신 차려라!

긴지!

결과

어머니는 나를 감금하는 강경 수단으로 나왔다.

쏘곤

학교는 중퇴하지 않겠다고 맹세해, 긴지….

야쿠자가 되지 않겠다고 맹세해, 긴지….

쏘곤

단호히 거부 하겠어 …!

단번에 써라, 긴지!

그 후 1개월.

나와 어머니의 근성 대결이 펼쳐졌다.

화
막

말릴 거면 더 빨리 말리라!!

아아아아아아아아아아아

이리하여 나는 어머니의 설득에 성공했고

아~, 단면이 깔끔하니까요.

잘 붙을 거예요.

관계자 외 출입금지

쿵덕쿵쿵쿵쿵

심수회병원

응급 입구

만반의 준비를 하고 입문용으로 선택한 조직은—

인체의 신비데이....

놀랍게도
조직원이
1명이었다.

렁구만.
주
미있어.

니이미파
였다.

제9화 ★ 끝

자네가
입문을
희망하는
긴지로군.

활동도
실태도
수수께끼에
쌓여있는

바로 본론으로 가겠네. 긴지.

우선 환영하지. 잘 왔어.

니이미파 사무소

제10화 凸와 凹 긴지편 ②

두근 두근

감사 합니다.

나는 말이지.

치이익…

후

욱

화아악

복잡한 걸 싫어해.

자네가 지켜주길 바라는 룰은 하나.

무슨 일이든 심플한 게 제일….

무능한
놈들은
아무리
모여봤자
쓰레기다.

우리 업계
에서는

조직의 멸망은
죽음과 직결
되는 거라서
말이지….

멋있
다….

네.
맡겨주십시오.

지적이고
품위 있는
어른스러운
야쿠자.

하지만
자네는
달라.

그렇지?

오오.

그 후 노도와 같은 나날이 시작됐다.

사무소 청소.

운전 기사.

말 줍기.

두목은 진짜 금방 말을 떨어뜨린 데이.

두목의 식사와 옷 세탁.

아무 연줄도 없었던 나는

또 그것과는 별개로 조직원인 내게는

당장의 고액 회비를 지불하기 위해서 일용직 육체노동에 전념했고—

「회비」 라고 하는 조직에 바치는 상납금도 매월 부과됐다.

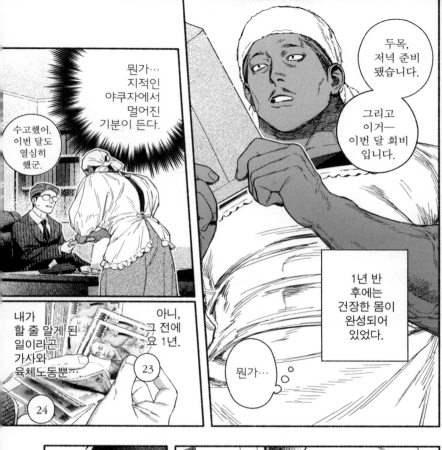

두목, 저녁 준비 됐습니다.

그리고 이거— 이번 달 회비 입니다.

뭔가... 지적인 야쿠자에서 멀어진 기분이 든다.

수고했어. 이번 달도 열심히 했군.

아니, 그 전에 요 1년.

내가 할 줄 알게 된 일이라곤 가사와 육체노동뿐...

23

24

1년 반 후에는 건장한 몸이 완성되어 있었다.

뭔가... ○○

이래 가지고 내 참말로 두목이 될 수 있겠나?

니이미 두목.

야쿠자와 상관없는 노하우밖에 늘어나지 않은 셈이다.

....

이건 용돈이다. 받아둬.

그리고 세탁물도 받아다오. 부탁한다.

……

…긴지,
내가 뭘로
보이지?

이제
슬슬

저한테도
야쿠자다운
일을 맡겨
주실 수
없겠습니까.

멈칫…

야쿠자
다운…

일이라.

지금
이 순간에도
시시한 게임을
하고 있을지도
모르는데….

내가
야쿠자로
보여?

네.

….

?

그건

내가
컴퓨터 앞에
있기
때문인가?

인터넷에서
여자 수영복
사진을 찾아
다니고—

심심풀이로
룰도 잘 모르는
솔리테어를
하고 있었던…

그런
인간으로
내가
보이나?

아뇨….

°°°?

그렇
겠지.

………

잘 들어.

네가 동경하는
"야쿠자다움"은
말이야,

진짜 야쿠자는
무슨 짓을 해도
야쿠자가
되는 거야.

"무엇을"
하느냐가 아니라
"누가" 하느냐에
달려 있네.

49

확실히

슥...

긴지.

두목!

제가 감히
쓸데없는 말을
했습니다.

너는 이미
니이미파의
넘버2,
부두목이야.

자각을 가져.
그리고 너는
충분히 기대에
응해주고 있어.

제10화 ★ 끝

제11화 凸와 凹 긴지편 ③

오늘 밤은 밖에서 끝내고 올게.

이 이상 긴지를 "두뇌파 스타일" 야쿠자만으로 속이는 건

빡셀 것 같고 말이지~~….

…알겠습니다.

하지만~~

자신에게 솔직하게 사는 데에도 돈이 드는 가혹한 사회에서

어서 옵쇼!

본부에 내는 상납금, 생활비에 자동차 대출, 부모님에게 보내는 생활비 etc…

긴지는 절호의 돈줄, 아니 구세주다.

하아~~. 진짜 진심으로 일하기 싫다! 그래도 돈은 필요해. 누가 내 응석 좀 받아줬으면 좋겠다.

이거 니이미 씨 아닙니까.

크크…… 재수가 좋아.

미끼가 제 발로 찾아올 줄이야.

저 녀석은…

찾아라 긴지를 붙들어 맬 미끼를

야, 저 양반.

니이미 부목이 무슨 일을 하고 있는지도 전혀 모른다…

내 생활에 이렇다 할 변화는 없다.

그 뒤로도

크크….
긴지―

그"의심하고 있어요」라고 하는 듯한 표정….

문~~가…
남 좋은 일만 시키는 것 같은데!

새로운 개척지에서 새로이 내는 가게의 경영을― 내게 꼭 부탁하고 싶다는 연락이 있었어.

요전에… 본부인 하나마키파 에서

숨겨놓은 미끼가 있는 것도 모르고―!

긴지.

56

나 대신 경영을 해보지 않겠어?

어때?

하지만 긴지— 나는 너를 키우고 싶다.

가져가는 몫은 저쪽이 많겠지만

그래도 지금의 네 벌이보다 좋을 거야.

ㅋㅋ… 쉽다, 쉬워. 긴지~~. 암… 내가 진심을 내면 이 정도야 누워서 떡 먹기지—.

쫴앵

참말 입니까?

참말이고 말고.

야, 앞에 안 보나. 위험하잖아.

내

찌~잉

이 긴지, 반드시 기대에 부응하겠 습니다 —!

네엡!

자세한 건 3일 후 의논하기로 했다—.

너도 동석해라.

내가 경영을…!

의심해서 죄송합니다. 니이미 두목.

3일 후

엥~~?

나 그런 이야기는 한 마디도 안 했는데요—.

네기~~? 그런 시골의 자릿세가 월 100만이라고…?

당신이 돈벌이 할 "장소"를 찾고 있다고 해서

니이미 씨, 당신 심각한 오해를 하고 있는 거 아닌가 모르겠네요.

우리 쪽에서 놀고 있는 네기의 토지를 월 1장에 빌려줄까요 하는…

그런 이야기를 하지 않았나요?

어라… 못 들었는데.

긴지, 그만.
나를 향한
실망을
조금은
숨겨라…

미치겠네~~.
노른자 땅에
있는 가게를
다른 조직에게
맡긴다는 농담.

진담으로
생각 안 해요.
나라면—

이때 나는
깨달았다…

일단 침착하자.
아직 서두를
단계가 아니야.

이야기를
마무리
한다고
하시니까

이쪽도
형님의 시간을
뺏은 거라—

우리를
우습게보는
이 양아치의
말과 태도…

건들

건들

설마
니이미
씨….

인정하고
싶지는
않지만
배기…

니이미 씨,
당신….

형님 체면을
구길 생각은
아니겠지요.

위험해~~….
내가 봉으로
잡힌 사실이
흐려질 전개를
생각해라……

다소
이야기의
오해가
있었던 것
같은데.

뭐, 기왕
이렇게 됐으니
상황을 즐기도록
하자고—.

닝미 씨,
싸움 잘하나?

그래…….
게임이나
한판 할까?

야쿠자답게
이번 건을 걸고
주먹으로—.

철저히
당당하게—

동요는
보이지 말고….

이길 자신이 있다면
받아도 손해가 없는
조건이잖아?

재미
있네.

미끼와 부추김을
잇따라 날린다!

이쪽이 지면
자네들 조건에
100만 더
추가해도
좋으니까.

호
~

부정할 시간을
주지 않고—

재밌고 좋은데~~ 형님이 좀 바쁘니까

1분 안에 때려눕혀 줄게~~.

····

이제 말해도 되지-?

말해.

····

교섭 성립 이로군.

피가 끓어.

후후.

오랜만에 느끼는 감각이야···

네가
나설 차례다.
긴지!

그런 흐름
이었나,
지금?

어라.....

제11화 ★ 끝

나는 아픈 것도 싫어해.

미안하다, 긴지….

더워서 벗은 거야. 그것 말고 뭐가 있겠냐.

잠깐…만. 상황이 이해가 안 되는데.

저기 ….

어?

그럼 이 양복은—.

제12화 凸와凹 긴지편 ④

어어 내가 투정을 부리고 있는 듯한 흐름인데 이거…?

누구든 상관없는데 빨리 좀 정해~~.

그래. 긴지, 분위기를 파악해.

둘러다오.

항

긴지.

그런 중요한 내기에 나설 수 있는 실력도 아니에요…!

…곤란해요. 저는 변변한 싸움 경험도 없고

긴지…. 너는 나를 의심하고 있지만 나는 "알고 있다".

긴지
….

아직도
모르겠냐
….

뭐야?
나 지금
맞은 거야…?

이 2년─
내가 내준
과제를
소화시키는
가운데

너는
"진짜 야쿠자가
되고 싶다"고
자각을 해서
강인한 육체를
손에 넣었어.

이 말도 안 되는
소리를 통하게 할
타개책,
그것은

실은 내도,
생각이 좀
안이하지 않나
싶긴 했다.

아무리 그래도
이렇게까지
얻어터질 줄은
몰랐다만.

약하네
~~…?

저기~~
내가 워낙
착해서
가르쳐
주는데--.

역시
그 대화의
흐름은
이상한
거였군.

니…
이래
약하
면서

그런 말도
안 되는
이야기로
싸움을
강요받은
거냐….

패배한 대가인 월 200만과 당신 몫의 월 100만

네게 건 것은 후회 안 한다.

확실히 벌 수 있는 꺼리를 만들 테니

씨버얼~~

니이미 씨.

뭐…, 다음달부터 또 수행 이다 생각하고

내 다시는

안 속는다.

대신 저를

독립시켜 주세요.

제12화★끝

오사카 네기. 하나마키파로부터 강제로 빌리게 된 건물 앞….

으—음.

제13화 凸와 凹 ⑤ 호러… 미지와의 조우편

상상 이상으로 낡아빠졌잖아.

까-아아악~

거기다 시골….

아따~~.
안도 더럽네!

외관은 최악 이고.

깽!

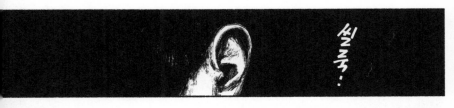

씰룩.

…

쓰레기 봉투는 있나?

쟁강!

사업을 하기 전에 청소부터 하지 않으면 안 되겠 구마잉.

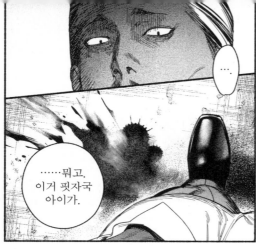

…

그건 그렇고 이런 곳에서 월 300만을 벌 방법이…

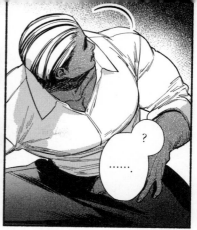

?

……

도무~지 생각나질 않는데.

뭐고 ?!

누가 있는 기가?

철컥

안 돼.

응? 뭐고, 안 열리네?

아까 충격으로 뒤틀렸나?

이러면 내가 이제 할 수 있는 게 없는디.

그러고 보니 밖에 솥이 있었지.

가볍~게 문질러 볼까.

사실은 보이면서…

어이—! 누구

누구 밖에 없어?

왜 그래.

어이.

난감하구만.

포기하기는 아직 일러….

!

!

……

저기… 들립니까?

그렇군
….

그러면 뭔가
부술 수
있는 거라도
찾아주겠어?

야, 인마.
멋대로
부수지 마….

철
커

철
커

문….
이쪽에서도
안 열리는 것
같은데요.

나를
무시해?

용서 못 해.
너를
죽이
겠다아.

문……
부술 테니
물러나 있어
주세요.

응,
부탁하마.

괜찮습
니까―.

왁자작!

머리…

괜찮습니까.

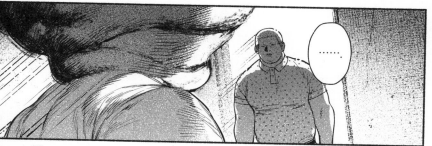

……

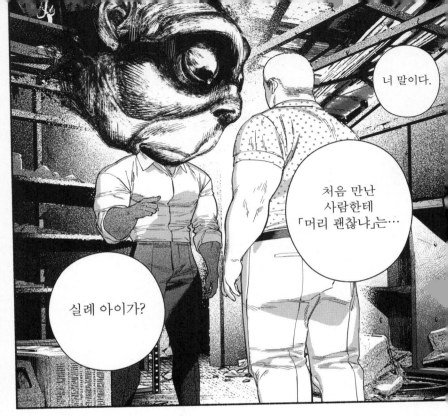

너 말이다.

처음 만난
사람한테
「머리 괜찮냐」는…

실례 아이가?

………
죄송합니다.

제13화 ★ 끝

이거

올해도 부탁한다.

벨스 가망 세트

카지타, 지금 시간 있냐.

네.

야스, 너….

오늘은 한층 더 미인 이데이!

네, 형님.

네, 형님.

야스~. 여기에 데이트 가제이 있었나? ~~.

네, 확실히 받았습니다.

효고현 후쿠베 지마가

제14화

제14화 凸와 凹 ⑥ 호러… 미지와의 조우편

무슨 무슨 내는,
그런 쪽은
안 믿는 타입
이데이.

...

유~령~?

너....

죽고
싶지
않으면...

이곳
에서
손을
때라.

그럼
말이
통하
겠군
...

지금 뭔가
오싹오싹
했데이
...

??

이 내가
보이는 것
이냐아...

아으
윽!

그러니까!
죽고 싶지
않으면!

아아,
방금 전
이야기가?

그러니까
내는
유령
이라든가
그런 건.

아, 아니,
「감기인가」는
혼잣말
이데이.

아,
어렴풋이
들리는
건가…?

….

….

무서워서
목소리도
나오질
않냐?

오한…?
감기인가?

시익…

……

부정적 의견은
들리지
않은 척하는
타입인가.

자각 없이
사람을
화나게
만드는
타입이군…

아니,
됐다
….

그래서
뭐였죠
…?

죄송
합니다.

아무것도
들리지
않았어요.

서ㅡ걱

서ㅡ걱

고작
100엔
으로ㅡ

준비물
은ㅡ

앞에 있는
무인 판매대
에서 산
이 무와

버려져
있던 솔.

쓱쓱

쓱쓱

쓱쓱

봐라….

자.

…?

…네.

지워지지?

…아니,
그게
아니라.

…어수선한
틈을 타서
청소를
시키는
거냐아.

…
네에.

하고
싶어졌지?

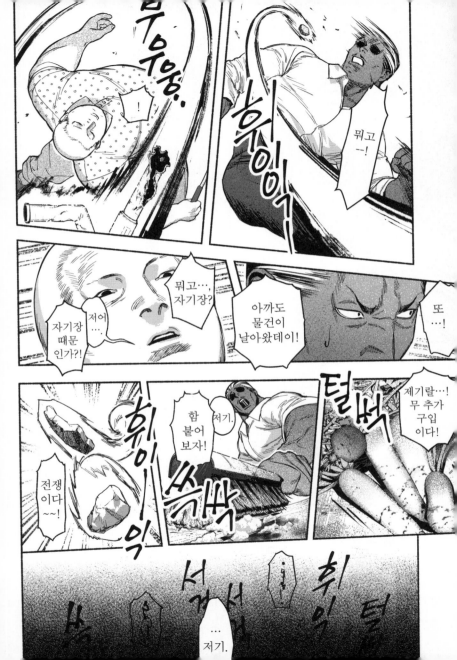

사와다 씨.

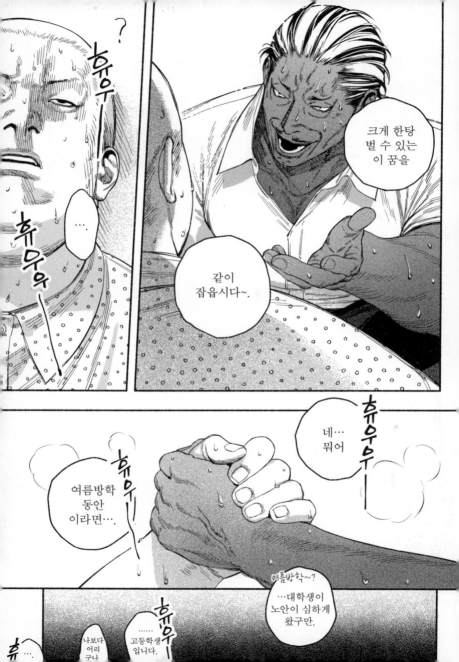

그럼 내일 또 보자잉.

네.

아버지, 일찍 퇴근 했으니까

오늘은 밖에 외식을 하러 가자꾸나.

제14화★끝

끼익•••

쿠니, 늦었구나.

걱정 했어.

…죄송 해요.

텐푸라 모둠이랑 모둠 회… 그리고 무 샐러드를 주세요.

너는 뭘로 할래?

눈보라

주문은 결정하셨 나요?

네.

임연수 좋구나! 나도 고민했어.

당신은?

나는 괜찮아….

쿠니가 먹고 싶은 거 골라줬거든.

…임연수랑 두부 튀김, 야채 절임 모둠이요.

…네.

2답 l가 l…?

그 밖에는 됐어?

좋아 하는 거…

골라도 되니까.

…

….

네 성적
이라면
걱정은
없겠지만

3학년이 되면
진로에 맞춘
공부도
필요해질 거야.

그보다
어떠니.

이제 슬슬
진로는
정해질 것
같아?

어느 쪽을
닮았는지

정말로
우리에게는
너무 잘난
아들이야.

학비는
걱정
말거라.

사립이든
국립이든—

학과를
보고
선택해도
되니까.

어머.
맛있겠다
—….

여보
….

쿠니가
진담으로
듣겠어….

하하

호호

너라면
장래에
의사나
변호사가
—….

기본 반찬
입니다.

어디…,
먹어볼까.

감사합니다.

잘 먹었어요.

……

진로 이야기 있잖아.

응.

차 가져올 테니까 기다려.

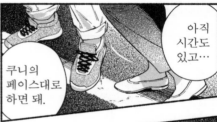

아간 그렇게 말했지만…

아버지도 같은 생각이란다.

쿠니의 페이스대로 하면 돼.

아직 시간도 있고…

무엇이 정답일까.

…네.

엄마는, 진로는 네가 가고 싶은 길을 선택해줬으면 좋겠어.

네 인생이잖니….

내보다
더 많은 관심을
가져줄 팬들에게
주목받는 편이
기쁠 거데이ー.

유령도 어차피
쓰레기 날리기
같은 재주를
보여줄 생각
이라믄

부유하는
쓰레기를
도료로 바꾸고
배어나오는
핏자국과
세트로

한 점의
그림을
만들어서
말이지.

잠깐,
잠깐,
잠깐
만….

가능한
만큼의
심령체험도
겸해서

오컬트
마니아한테
팔아먹는
기라.

WIN-WIN
굿 아이디어
라는 기다.

돈을
벌고 싶은
우리.

즉…

인간에게
주목받고 싶은
유령과

야, 인마
「엄지척」은
아니지.

**엄지
척**

빙
글

영역에 침입한 자를 겁먹게 만들어 내쫓는 건…

할 수 있겠나?

…해볼게요.

아니, 주목받고 싶은 게 아니라…….

너한테 부탁하고 싶은 건 두 개 있다.

괴기현상을 컨트롤하는 역이데이.

유령체험에 신빙성을 갖게 하는 역할하고

까-아아악~

유령에게 흔하게 있는 일이라고오….

이날부터 야스의 수행과 긴지의 준비가 시작됐다--.

부하를 걸면 영압이 올라간다….

더는 멋대로 하게 두지 않겠다…!

유령도 대항을 시도했지만

근력 트레이닝과 마찬가지로….

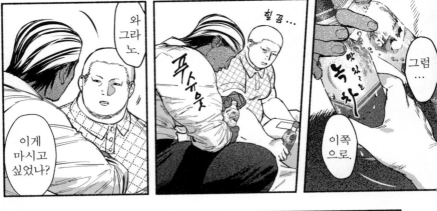

네?

왜 그러 나니까?

....

....

아, 맞다.

발 쩍

요 며칠 사이 난 깨달 았다...

오오... 좋은 질문 이데이.

내한테 반한 가시나의 꿈을 이뤄주기 위해서라고 할까.

....

긴지 씨는

왜 야쿠자가 되려고 한 거 예요?

?

아.

그...

이 참에 자존심을 버리고 대화 방법을 모색할 때인가...

...그럼 지금은 그 여성과 둘이서?

아니. 그 녀석과는 그 이후로 못 만났데이.

?

나는— 이 녀석보다 약해애...

엄마는 맹렬히 반대해서 말이다.

각오를 보이기 위해서 새끼 손가락을 잘랐다.

어찌 반전.

......아아.

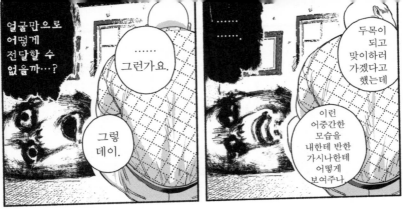

얼굴만으로 어떻게 전달할 수 없을까…?

…… 그런가요.

그렇데이.

……
……

두목이 되고 맞이하러 가겠다고 했는데

이런 어중간한 모습을 내한테 반한 가시나한테 어떻게 보여주나

그 선택은…

정답 이었다고 생각 하나요?

!

정답이라~.

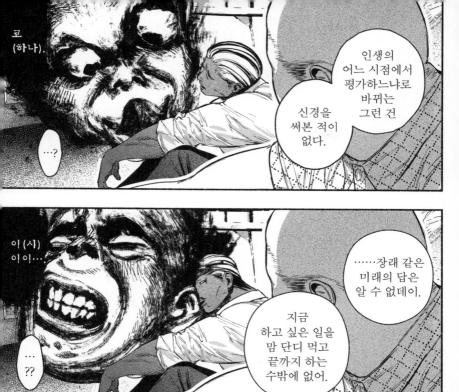

코
(하나).

…?

신경을
써본 적이
없다.

인생의
어느 시점에서
평가하느냐로
바뀌는
그런 건

이 (시)
이이…

…
??

…장래 같은
미래의 답은
알 수 없데이.

지금
하고 싶은 일을
맘 단디 먹고
끝까지 하는
수밖에 없어.

AOhh
(아오)
~~ ♪

…
……
…

…

…….

…뭐어…

애초에
하고 싶은
일이 없는
녀석
헌티는

자유로운
시대라는 것도
압박일지
모르겠군….

※'하나' '시'는 일본어로 각각 '코' '치아'를 의미하며, '하나시아오'는 일본어로 '대화하자'이다—역주

114

제15화 ★ 끝

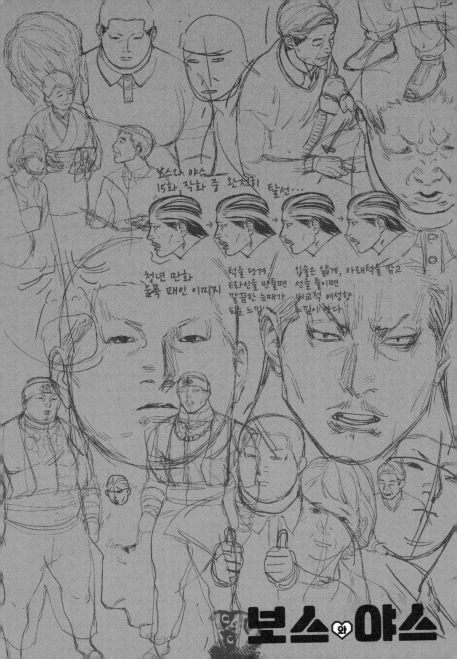

보스와 야스
15화 작화 중 완전히 탈선...

청년 만화 틱을 당겨 입술은 얇게, 아래턱을 깎고
듬뿍 패인 이미지 트라인을 만들면 선을 줄이면 비교적 여성향
깔끔한 눈매가 느낌이 난다
돼요 느낌

보스♥야스

제16화 凸와 凹 ⑧ 호러… 미지와의 조우편

120

20일
후—

그건 소수의
마니아용이라
팔 수 있는
수가 적어.

수호령. 전생
초상화너

지금은
화제가 돼서
마니아가 아닌
손님들도
늘었으니께,
더 싸고
간단한 아이템을
짜내야제.

반

그림 쇼?
그런 건
구식이야,
구식.

좋아.
다 됐다.

다음
히트 상품은
이거데이.

....

사업이
굴러갈 수
있도록 해야
하니까~.

그리

여름방학이
끝난 뒤
네가 없어진
후에도

122

염색으로 손상된 머리에 1000엔

자란 머리를 붙이면 효험이 있다고 해서 팔 끼다.

좌우 길이가 좀처럼 안 맞아서

그만 너무 많이 잘라버렸는데

뭐, 금방 자라겠지.

….

탈모는 물렀거라.

아름다운 모발 기원.

머리가 자라는 저주받은 일본 인형!

머리가 좀 짧은데 ….

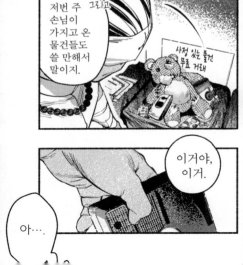

저번 주 손님이 가지고 온 물건들도 쓸 만해서 말이지.

그리고

사정 있는 물건 무료 거래

이거야, 이거.

아….

실은 내도 요즘 일어날 때마다 베개에 머리카락이 잔뜩 붙어 있더라고~.

이런 건 신불의 은혜에 맡기는 편이 좋을지도 몰라.

우러러 받들고 있어….

봤는데 예상대로 저주고 뭐고 없었데이.

뭐, 재미로 사는 상품으로 가격을 싸게 하고—

희망자에게는 전문 영매사 야스의 수제 부적을 부록으로

저주받은 비디오.

역시 인간은 아니었나.

사부님, 수고하셨습니다.

응, 수고했어~.

그래.

뜨거운 건가….

5천 엔에 세트로 팔 생각인디~.

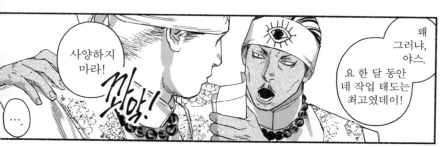

그럼 너, 여기 일은 왜 도와 줬는데?

......가 이해가 안 된다.

......

네.... 뭐어 그래도

진짜로 가지고 갈 곳이 난감해서요 ....

혼자서 시간을 죽이기보다 친구와 있는 편이 기쁜 것 같아서요.

그래서 밖으로 나가고 있는데

걱정 하세요.

방학에 집에 있으면.

어머니가

내가 니 친구였던 기가.

.... 설명상 ....

으─음 ....

마.

진로가 어떻고 하는 거는 정해졌나.

아뇨….

그럼 내가 있는 곳으로 오는 건 어때.

어떤 진로가 좋을지 아직 모르겠지만

야쿠자가 되는 게 오답이란 건 알고 있으니

안심 해라.

후회는 안 할 기다.

안 할 래요.

대담 속도 보소.

마.

…… 그럼

이만 실례하겠 습니다.

…

…그러 냐.

뭐

네 돈은 여기서 맡아 둘 테니 언제든지 말하그레이.

여름방학이 끝나면 원래 생활로 돌아갈 거예요.

니가 말하는
오답
이라는 게

누구한테
있어서의
오답이고?

진로를
결정
해야
해.

여름
방학도
끝난다
…….

벌써
한 달
이군.

제16화 ★ 끝

쿠니.

똑 똑...

철 컥

어머, 또 공부 하고 있었네.

달 그 락...

달 그 락...

하... 히...

하... 히...

하... 히...

제 17화 쿠와타 ⑨ 호러... 미자와의 조우 편

수험은 내년이니 지금 정도는 느긋하게 지내도 돼.

느긋 하게 ...

왜, 또래 애들이 좋아하는 만화나 TV게임 있잖니—

친구 들이 많이 하는 그런 거 ....

네 ....

엄마는 네가 어렸을 때부터 공부에 열심인 점에 무척이나 기뻤지만

너무 거기에 신경 쓰지 않아도 괜찮으 니까.

네 ....

응.
....
그래도
....

여보.

타앙...

재도 사춘기야.
모든 것을
부모에게
이야기할
나이가
아니라고.

당신의
불안을
재한테
터뜨리지
마.

....

전에도
말했잖아.
염려가
지나쳐.

저 아이의
성장을
가까이서
보지 않았
으니까….

당신은
몰라.

저
아이,
아마

나는
저 아이가
장래를
위해서…

저 아이가
한 번이라도
희망 사항을
말한 적이
있어?
항상
부모의
안색을
살피고.

그런
감각이…
조금
더디니까

자신의
감정이나
욕구를 좀 더
중시했으면
좋겠어!

확실
하게
뒷받침
해주고
싶어.

……
관심 있는
장르는?

이제부터
…

그것도
이제
부터
…

옴마야,
니 만화
좋아하나!

무슨 계열
읽는데?

아니…,
이제부터
읽을까
해서요.

내가
읽고 있는
만화~?

근데 관심도
없다면서
만화를 읽으려고
하는 동기를
모르겠다.

….

그라,
다음에
가지고
오꾸마.

고맙
습니
다.

끼익—!

까앙~

저기
말이다~~
그런
미봉책을
쓰다 나중에
된통……

깔끔하게
단념하지
못하는
녀석이
고.

오우! 오우! 오우

우물…

그리고
보니
오늘 날씨
좋네요

이야기
딴 데
돌리는
것도
억수로
서투
르네.

……

……

보니
까 니
또
어머니한테
평범한
고등학생인
척하려는
거제?

뭐야!

이게
뭐고
~~?!

힐끔

흐
아
...

하앗...

헤헤헷...

흐
아
...

아마ㅡ
아닐 것
같아요.

빈집
털이가
--?!

아니
....

앞으론 맹꽁이 자물쇠가 아니라 제대로 된 자물쇠를 달아야 겠다.

으—음, 뭐어…, 빈집 털이가 아니라면 괜찮지만.

자물쇠 걱정은 안 해도 돼.

함 붙어 보자!

저기.

전쟁 이다—

뭐라고 해야 하나….

영혼의 상태가 나쁜 것 같다고 해야 하나—

전에 오랫동안 힘을 썼을 때와 비슷한 것 같은….

맞다.

너는 영력은 강하지만 내 힘을 사용하지 않으면 물건을 뜨게 할 수 없지….

잘한다. 야스.

응~?

그걸 내한테 묻는 기가?

기운이 없어 보이 는데 이대로 장사할 수 있을까요, 이거….

야스보다 강한 힘이 손에 들어오면 너희가 하라는 대로 하는 생활도 끝이야.

야, 잠깐 잠깐.

으아 아아….

으이잉!

그 책에 유령이랑 의사소통 하는 방법은 안 실려 있냐 아아아 아아.

야스의 재능 앞에 싱겁게 굴복하고.

힘조절을 모르는 야스가 나한테 필요 이상의 파워를 줄 가능성이 높다.

내 힘이 고갈되고 있는 걸 알면 너희는 힘을 증폭시키려 하다가—

영능력으로
"무언가의 모습이
유령으로 보이게" 하는
그런…

감수성이 높을 것 같은
그걸 해야겠제~?

어떻게
안 되나
니요…

난감한데~~.
아직까지
고액 상품은
이것뿐인디
이거 원—.

어떻게
안 되나~.

요컨대
마음먹기
인기라.

알겠
제?

니라면
할 수
있데이!

문제는
단순하다!
힘이 없어서
약해졌
다면

나눠
주면
된다!

잘
들어
~.

한 발
왕창
넣어
주라!

내

고
오
오
오

승근

이걸로
형세역전~~.

해
볼게요….

한 발
왕창….

십구
만….

제17화 ★ 끝

제18화 凸와 凹 ⑩ 인간 만사 새옹지마편

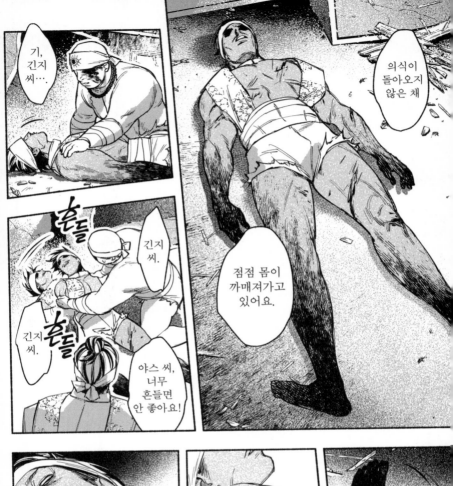

기, 긴지 씨….

의식이 돌아오지 않은 채

긴지 씨.

흔들

긴지 씨.

흔들

야스 씨, 너무 흔들면 안 좋아요!

점점 몸이 까매져가고 있어요.

아아.

쫘앙

스 윽…

정신
차려요!
야스 씨!

대체
무슨 일이
있었던
겁니까!

저희는
뭘하면
되는 건
가요?!

어떻게
해야
사부님이
원래대로
돌아오는
건가요.

츄욱!

의지할
사람은
당신밖에
없다
고요!!

꿈틀…

틀린
건가.

…또.

그만
해….

내게…
……

먹질…

네…
…?

내게 답을
구하지 마….

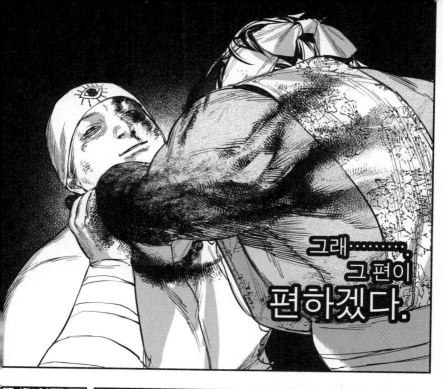

그래⋯⋯⋯. 그 편이 편하겠다.

우후~우⋯.

아흐...

으음...

후아아
~~...

뭐고
오오
오!!

이귀
이이
이

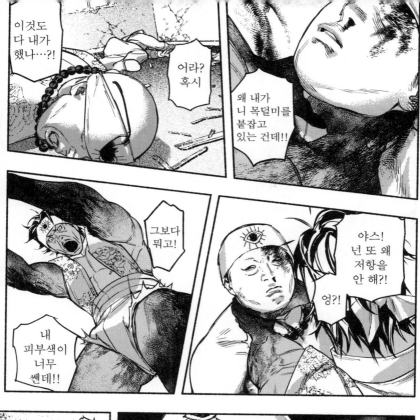

이것도 다 내가 했나…?!

어라? 혹시

왜 내가 니 목덜미를 붙잡고 있는 건데!!

그보다 뭐고!

내 피부색이 너무 센데!!

야스! 넌 또 왜 저항을 안 해?!

엉?!

진짜로 죽는다, 자슥아!

포기하지 마!

추우-욱

시끄러워.

야아아 아아! 눈 감지 마라!

아이고~~! 아파라~~!!

냉정해지고 통증이 돌아왔나?! 젠장~~.

엠병…. 진짜로 부러져 뿌렀네~!

크윽….

……?

설마 이 까만 게….

이 상태로는 늑골도— 어깨는 탈구…? 베인 데도 있고.

생각해라…. 어떻게 해야 좋을지 생각해~~.

스ㅏ….

몸이 움직이는 부분도 점점 적어지고 있어….

제18화 ★ 끝

최신화 상황과 러프, 편지 수령 보고는 Twitter에서
(2021년 현재)

6/19
© 라이어바

차세대 NEXT
만화대상
2021

web 만화
부문 노미네이트
감사합니다!

Web 연재는 전자 서적을 취급하는 각 서점 어플에서

후기

구입해 주셔서 감사합니다.
1권 발매 직후에는 어떻게 되나 싶었지만, 독자님들과 많은 분들 덕분에 무사히
2권을 발매하고, 현재는 3권을 향해 꾸준히 Web 연재 중에 있습니다.

과거편은 쓸 생각이 없었지만 1권의 감촉을 통해 『보스와 야스』를 완전하게
그리기 위해서라도 필요하지 않을까 생각해 시작하게 되었습니다.
다만 여자 야스 봉인·시리어스 요소 필수·지금까지의 단편 형식에서 탈피해
연속되는 이야기로 이행…하게 되어 마음이 불안으로 도배되어,
「보고 싶었던 것과 달라!」라는 실망을 드리게 되는 게 아닐까 하는 점이
연재 중 가장 마음에 걸렸습니다.

야스와 긴지가 친해진 계기편도 종반에 접어들었고, 과거 이야기는
3권 중에 완결 예정입니다. 과거편이 있어 좋았다고 느끼실 수 있는
관계성을 그릴 수 있도록 노력하겠습니다.
(단행본은 속표지에 다음화 컷이 있습니다)

지금은 여자 야스만큼이나 타츠가 그리운 상태로,
과거편이 완결된 후 등장할 장면을 기대해 주세요!

사이노스케
Twitter:@ja_pants

보스와 야스
2권
축하
합니다!
@tukiyo
0613

작화 협력!

어어~~?
그건
「찐?」이야

「찐」입니다,
형님.

※「찐」=진심